Introduction

Sommaire
Sommaire

Introduction

La valeur nutritive de la viande

La viande maigre, rouge ou blanche, est une source précieuse de protéines de grande qualité. Elle nous apporte, en outre, des vitamines et des minéraux indispensables à une bonne santé. Sa valeur nutritive est irremplaçable.

La viande est particulièrement riche en fer, qui permet le transport de l'oxygène dans notre organisme et lutte ainsi efficacement contre l'anémie, la fatigue et le manque d'énergie. C'est aussi un important facteur de croissance chez les enfants.

Ces qualités sont présentes dans toutes les viandes, mais surtout dans le bœuf et l'agneau, qui contribuent, entre autre, à optimiser les apports en fer d'aliments comme les légumes verts, les féculents ou les fruits secs.

Une portion de viande rouge satisfait également la moitié des besoins quotidiens de l'organisme en zinc, un autre élément indispensable à la vie, en ce sens qu'il contribue à la croissance et aux fonctions reproductrices, et renforce les défenses immunitaires.

La viande est également riche en vitamines du groupe B, la thiamine, la riboflavine, la niacine, les vitamines B6 et B12, qui transforment la nourriture en énergie.

Les protéines fournies par la viande sont indispensables à la croissance et à la réparation de toutes les cellules du corps. En effet, la viande contient les huit acides aminés dont nous avons besoin au quotidien.

La viande maigre, bien préparée, est agréable au goût et à la vue. Par chance, elle contient aussi tous les nutriments nécessaires à notre équilibre et à notre santé.

Mais la viande est aussi un aliment assez coûteux, que beaucoup n'ont pas les moyens de s'offrir de façon régulière. Pour tirer de vos achats de viande un maximum de profit, il est indispensable de respecter certaines règles simples. Il faut en particulier choisir les bons morceaux, les conserver correctement et les faire cuire comme il convient. Les recettes qui suivent vous aideront à faire le bon choix et aussi à transformer vos repas les plus simples en un moment de plaisir partagé.

3

N'achetez pas plus de viande que votre réfrigérateur ne peut en contenir. Respectez les dates limites de consommation.

Lorsque vous choisissez un morceau de viande, assurez-vous que son aspect et son odeur sont agréables. La surface doit être brillante sans être humide ou trop sèche.

Si vous ne savez pas quel morceau choisir pour votre recette, demandez conseil à votre boucher. Il se fera un plaisir de vous aider, et peut-être de vous faire découvrir de nouvelles saveurs.

Sachez que l'on peut considérer comme raisonnable une quantité de 115 g à 145 g par personne et par repas pour la viande sans os (en moyenne, le double pour une viande à l'os).

Le bœuf

Bœuf

en cocotte

1. Faites chauffer 1 c. à soupe d'huile dans une sauteuse. Faites revenir la moitié de la viande 5 mn pour qu'elle dore. Retirez et réservez, puis faites de même avec la seconde moitié. Incorporez la viande réservée.

2. Pendant ce temps, versez 1 c. à soupe d'huile dans une grande casserole à fond épais. Ajoutez les oignons, couvrez et faites rissoler 5 mn, en remuant de temps en temps. Versez le vin et portez à ébullition. Laissez frémir 5 mn à découvert, jusqu'à ce que le liquide ait réduit de moitié.

3. Versez cette sauce sur les morceaux de bœuf, ajoutez le bouillon et le bouquet garni dans une mousseline, en prenant soin d'attacher le sachet à la queue de la sauteuse. Salez et poivrez. Portez à ébullition en remuant, puis baissez le feu et laissez mijoter 1 h à couvert, pour que la viande soit bien tendre.

4. Ajoutez les légumes, replacez le couvercle et faites cuire le tout 40 mn. Si la sauce vous semble trop liquide, augmentez la température et faites bouillir à découvert jusqu'à ce qu'elle épaississe légèrement. Retirez le bouquet garni avant de servir.

2 c. à soupe
d'huile végétale

700 g de viande
de bœuf (macreuse,
par ex.) coupée en dés
de 2-3 cm

2 gros oignons pelés
et coupés en lamelles

25 cl de vin rouge

60 cl de bouillon
de bœuf frais
(ou en tablettes)

1 bouquet garni
(persil, thym, laurier)

sel et poivre noir

3 grosses carottes
pelées et coupées
en rondelles

1 navet (ou 1 rutabaga)
coupé en dés de 1,5 cm

2 branches de céleri
coupées en rondelles

2 grosses pommes
de terre pelées
et coupées en dés

🍴 4   🕐 25 mn   ⏳ 2 h   **c** 428   **l** 11 g

Hachis parmentier aux légumes

1 c. à soupe d'huile d'olive vierge extra

1 gros oignon haché

1 grosse carotte hachée

60 g de lard maigre haché

750 g de bœuf maigre haché

30 cl de bouillon de bœuf

ketchup

1 c. à café de sauce Worcestershire

1 c. à café de thym frais haché

sel et poivre noir

2 c. à soupe de persil frais haché, et un peu plus pour décorer

Pour la garniture

450 g de pommes de terre coupées en morceaux

450 g de rutabagas coupés en morceaux

60 g de beurre

15 cl de crème légère

muscade fraîchement râpée

1. Faites chauffer l'huile dans une grande poêle, placez-y l'oignon, la carotte et le lard et faites cuire 10 mn. Ajoutez la viande hachée et faites rissoler 10-15 mn, en écrasant bien la viande avec le dos d'une cuillère en bois. Retirez l'excès de graisse, puis ajoutez le bouillon, le ketchup, la sauce Worcestershire, le thym, le sel et le poivre. Laissez mijoter 45 mn, partiellement à couvert, en remuant de temps en temps. Ajoutez un peu d'eau si la préparation vous semble trop sèche.

2. Pendant ce temps, faites cuire les pommes de terre et les rutabagas 15-20 mn dans de l'eau bouillante salée. Égouttez, puis réduisez les légumes en purée. Incorporez la moitié du beurre et la crème. Ajoutez du poivre et de la muscade.

3. Préchauffez le four à 200 °C. Transférez la viande dans un plat creux allant au four et ajoutez le persil. Mélangez bien. Couvrez avec la purée de légumes, égalisez avec les dents d'une fourchette et parsemez de noisettes de beurre. Enfournez et laissez cuire 35-45 mn, jusqu'à ce que le gratin soit bien doré. Servez, décoré de persil frais.

6 ● 20 mn ⧗ 1 h 30 **c** 397 **l** 21 g

Carbonade

de bœuf

2-3 c. à soupe
d'huile végétale

1 kg de bœuf à braiser,
coupé en cubes de 3 cm

1 gros oignon coupé fin

1 c. à soupe de farine

2 c. à soupe de sucre
brun ou de cassonade

25 cl de bière brune

50 cl de bouillon
de bœuf

1 c. à soupe de coulis
de tomates

1 bouquet garni

sel et poivre noir

persil frais pour décorer

🍴 4

🕐 15 mn

⏳ 2 h

𝒸 506

𝓁 20 g

1. Préchauffez le four à 160 °C. Faites chauffer de l'huile dans une poêle supportant une flamme vive. Faites cuire la viande à feu vif durant 5 mn, en la retournant pour qu'elle soit bien dorée sur chaque face, et renouvelez l'opération deux fois. Réservez sur une assiette.

2. Baissez le feu, versez dans la poêle les lamelles d'oignon et laissez blondir 5 mn, en remuant. Ajoutez la farine et le sucre et donnez quelques tours de cuillère, puis incorporez le bouillon et portez à ébullition sans cesser de remuer. Remettez les morceaux de bœuf, ajoutez le coulis de tomates et le bouquet garni. Assaisonnez et remuez bien avant de couvrir.

3. Placez les ingrédients dans un plat à gratin, enfournez et laissez cuire 1 h 30-2 h jusqu'à ce que la viande soit bien cuite. Remuez deux fois en cours de cuisson. Profitez-en pour ajouter un peu d'eau si la préparation vous semble trop sèche. Avant de servir, retirez le bouquet garni et rectifiez l'assaisonnement. Décorez de persil frais.

Steaks
au poivre

3 c. à soupe de mélange de poivre en grains
4 tournedos assez épais, de 150 g environ
2 c. à soupe d'huile d'olive
40 cl de vin rouge
sel

🍴 4

🕐 10 mn

⧖ 10 mn

𝐜 335

𝓁 14 g

1. Écrasez les grains de poivre à l'aide d'un pilon et d'un mortier ou avec un rouleau à pâtisserie. Enduisez les steaks d'une cuillerée d'huile et roulez-les dans le poivre concassé en pressant du bout des doigts.

2. Faites chauffer 2 c. à soupe d'huile dans une grande poêle, à feu moyen/vif. Déposez les steaks et faites-les rissoler 5-6 mn en les retournant à mi-cuisson. Sachant que le temps de cuisson varie en fonction de l'épaisseur des steaks, pensez à vérifier.

3. Disposez les steaks sur des assiettes de service et maintenez-les au chaud. Baissez le feu et versez lentement le vin dans la poêle, puis ajoutez 10 cl d'eau. Portez à ébullition et laissez cuire 3-4 mn en remuant constamment, jusqu'à ce que le liquide ait réduit de moitié. Salez à votre convenance et versez la sauce sur les steaks.

1 tranche épaisse de pain
blanc (sans la croûte)
coupée en morceaux

2 c. à soupe de lait entier

450 g de bœuf haché maigre

2 gousses d'ail écrasées

4 c. à soupe de parmesan
râpé, et un peu plus
pour saupoudrer

1 œuf battu

3 c. à soupe de basilic frais
ciselé, et un peu plus
pour décorer

sel et poivre noir

2 c. à soupe d'huile d'olive

Pour la sauce

400 g de tomates
concassées aux fines herbes

20 cl de vin rouge,
de vin blanc sec
ou de bouillon de bœuf

2 c. à soupe
de concentré de tomates

1 c. à café de sucre

60 g d'olives noires
dénoyautées

Boulettes
de bœuf à l'italienne

1. Mettez les morceaux de pain dans un saladier, couvrez avec le lait et laissez tremper 5 mn. Ajoutez la viande hachée, l'ail, le parmesan, l'œuf battu, le basilic, le sel et le poivre. Mélangez bien, de préférence avec les doigts. Façonnez 20-24 boulettes en les roulant entre vos paumes. Laissez reposer 30 mn au réfrigérateur.

2. Faites frire les boulettes en deux fois dans une sauteuse, en laissant rissoler 5 mn. Remuez bien pour que la viande soit cuite uniformément. Retirez et égouttez sur un linge propre.

3. Pour préparer la sauce, débarrassez la poêle de l'excédent de graisse. Versez-y les tomates, le vin ou le bouillon, le concentré de tomates et le sucre. Ajoutez 30 cl d'eau, salez et poivrez. Portez à ébullition et laissez réduire 20 mn. Ensuite, remettez les boulettes dans la poêle et laissez mijoter 10 mn, en remuant de temps en temps. Rectifiez l'assaisonnement, ajoutez les olives et réchauffez le tout 1 mn. Juste avant de servir, saupoudrez de parmesan et de basilic frais.

 4  *20 mn + trempage : 5 mn + au frais : 30 mn* 🝰 *30 mn* **c** *379* **l** *18 g*   11

Steaks

2 c. à soupe de grains
de poivre en mélange

4 steaks bien tendres
(bavette, rumsteck
ou filet) de 120 g chacun
environ, dégraissés

persil frais pour décorer

Pour la sauce

3 tomates

2 c. à soupe de jus
de tomates

2 c. à soupe d'huile d'olive

1 oignon rouge haché fin

2 c. à café de sauce
au raifort

1 c. à soupe de persil
frais haché

poivre noir

1. Pour préparer la sauce, placez les tomates
dans un saladier, couvrez d'eau bouillante et
attendez 30 s. Égouttez, laissez refroidir et déta-
chez la peau. Coupez les tomates en quatre
pour enlever les pépins et hachez finement la
pulpe. Versez dans un saladier avec le jus de
tomates et 1 c. à soupe d'huile. Ajoutez l'oignon, le raifort, le persil, le poivre et mélangez
bien. Couvrez et laissez reposer 1 h.

2. Préchauffez le gril à température moyenne.
Écrasez les grains de poivre à l'aide d'un pilon
et d'un mortier ou avec un rouleau à pâtisserie. Enduisez les steaks avec le reste de l'huile
et roulez-les dans le poivre concassé.

3. Disposez les steaks sur le gril et faites-les
griller 4-5 mn de chaque côté, ou plus selon
votre goût. Servez avec la sauce, après les avoir
couronnés de persil frais.

*Remarque : La sauce aux oignons fait toute
l'originalité de cette recette et transforme le
classique pavé de bœuf en un plat original et
coloré.*

¶ 4 ⏱ 15 mn + repos : 1 h ⏳ 10 mn € 247 ℓ 12 g

et sauce aux oignons rouges

4 tranches de rumsteck dégraissées

4 c. à soupe de sauce teriyaki ou de sauce soja

4 c. à soupe d'huile d'olive

6 c. à soupe de crème fraîche

4 c. à soupe de raifort

2 c. à café d'huile de noix

7 oignons nouveaux coupés en fines rondelles

1 oignon nouveau coupé en lamelles

2 gousses d'ail hachées

1/2 c. à café de piment en poudre

Bœuf
au raifort

1. Déposez les tranches de bœuf dans un plat non métallique, et arrosez de sauce soja et d'huile d'olive, en retournant la viande pour qu'elle soit bien enduite. Couvrez et laissez mariner 1-2 h au réfrigérateur.

2. Faites chauffer une poêle à fond cannelé à feu moyen, après l'avoir graissé à l'huile de noix à l'aide d'un linge, ou optez pour une poêle à fond épais. Faites griller les tranches de rumsteck deux par deux (en réservant la marinade). Laissez cuire 3 mn de chaque côté pour des steaks à point, ou selon votre goût. Tenez au chaud pendant que vous renouvelez l'opération.

3. Versez la marinade dans une petite casserole avec les oignons nouveaux, l'ail et le piment moulu, et réchauffez le tout. Arrosez les steaks de cette préparation, puis couronnez chaque tranche d'1 c. à café de crème de raifort (crème fraîche et raifort mélangés) et d'un peu d'oignon haché. Servez avec le restant de raifort.

🍴 4 🕐 10 mn + marinade : 2 h ⏳ 10 mn © 451 ℓ 31 g

Émincé

de bœuf à la chinoise

🍴 4 🕐 15 mn ⏳ 15 mn 𝐜 328 𝓵 14 g

450 g de rumsteck
(ou pièce à fondue)
dégraissé et coupé
en fines lamelles

2 c. à soupe de sauce soja

2 c. à soupe de saké
ou de xérès

1 1/2 c. à soupe
de farine de maïs

1 c. à café de sucre

3 c. à soupe d'huile
de noix

150 g de brocolis coupés
en petits morceaux

1 gros poivron rouge
épépiné et coupé
en lamelles

2 gousses d'ail écrasées

3 c. à soupe de sauce
aux huîtres

200 g de pousses de soja
fraîches

sel et poivre noir

1. Mélangez les morceaux de viande avec la sauce soja, le saké, la farine et le sucre dans un grand saladier.

2. Faites chauffer 1 c. à soupe d'huile dans une sauteuse ou dans une grande poêle, ajoutez un tiers de la préparation à la viande et faites rissoler 2-3 mn à feu vif. Renouvelez l'opération deux fois. Réservez.

3. Faites chauffer le restant d'huile dans la sauteuse, puis ajoutez les brocolis et 6 c. à soupe d'eau. Faites cuire 5 mn à feu vif, ajoutez le poivron et l'ail puis prolongez la cuisson de 2-3 mn. Le brocoli doit rester ferme sous la dent.

4. Versez la sauce aux huîtres dans la sauteuse, remettez la viande et ajoutez les pousses de soja. Faites cuire 2 mn à feu vif. Salez, poivrez et servez très chaud.

Steaks
de bœuf

1. Préchauffez le four à 160 °C. Couvrez les champignons déshydratés de 10 cl d'eau bouillante et laissez tremper 15 mn. Égouttez en réservant le liquide de trempage. Hachez les cèpes. Faites fondre 30 g de beurre dans une poêle et faites cuire les steaks 2-3 mn de chaque côté. Emballez-les, sans serrer, dans une feuille d'aluminium et mettez-les au four pour les garder au chaud.

2. Ajoutez 30 g de beurre dans la poêle et faites revenir 4 mn les champignons frais, les champignons réhydratés, l'ail et le thym. Ajoutez le vin, augmentez le feu et laissez frémir 1-2 mn. La sauce doit réduire de moitié.

3. Mélangez le liquide de trempage des cèpes et le bouillon, puis versez dans la poêle et laissez mijoter 3 mn. Ajoutez le reste du beurre, salez et poivrez. Servez avec les steaks décorés de thym frais.

15 g de cèpes déshydratés

85 g de beurre

4 steaks tendres
de 170 g chacun

250 g de champignons
des bois (girolles, par ex.)

1 gousse d'ail écrasée

1 c. à café de thym frais
haché, et un peu plus
pour décorer

10 cl de vin rouge

10 cl de bouillon de bœuf

sel et poivre noir

🍴 4 🕐 *10 mn + trempage : 15 mn* ⧗ *15 mn* **c** *436* **ℓ** *24 g*

aux champignons des bois

Bœuf braisé au vin rouge

| 3 c. à soupe d'huile végétale |
| 700 g de bœuf à braiser dégraissé et découpé en morceaux de 6 cm |
| 6 échalotes hachées fin |
| 2 gousses d'ail écrasées |
| 2 branches de céleri grossièrement hachées |
| 300 g de champignons de Paris grossièrement hachés |
| 1/2 c. à café de cinq épices |
| 35 cl (1/2 bouteille) d'un bon vin rouge charpenté |
| 25 cl de passata |
| 2 brins de thym frais |
| sel et poivre noir |

1. Préchauffez le four à 180 °C. Faites chauffer l'huile dans une sauteuse ou dans une grande casserole. Faites frire la viande 5-10 mn à feu vif, en remuant constamment. Réservez. Dans le même récipient, placez les échalotes, l'ail et le céleri, et laissez mijoter le tout 3-4 mn.

2. Ajoutez les champignons et prolongez la cuisson durant 1 mn. Versez les épices, le vin et la passata, ainsi qu'un brin de thym. Salez et poivrez. Replacez la viande dans la sauteuse et laissez réchauffer en portant à la limite de l'ébullition.

3. Couvrez et laissez cuire à feu doux (ou au four) pendant 1 h 30-2 h, pour que la viande soit bien tendre. Rectifiez l'assaisonnement et servez, décorez de thym frais.

🍴 4

🕐 10 mn

⏳ 2 h

C 335

ℓ 14 g

2

L'agneau

Côtelettes
d'agneau à la purée de navets

2 c. à café de moutarde de Dijon

2 c. à café de miel liquide

2 gousses d'ail écrasées

1 c. à soupe de romarin frais haché, et un peu plus pour décorer

3 c. à soupe d'huile d'olive ou de beurre fondu

sel et poivre noir

8 côtelettes d'agneau

100 g de chapelure fraîche

Pour la purée

450 g de pommes de terre à purée, coupées en morceaux

450 g de navets coupés en morceaux

2 gousses d'ail

60 g de beurre

5 c. à soupe de crème légère

muscade fraîchement râpée

1. Mélangez la moutarde, le miel, l'ail, le romarin et l'huile d'olive. Poivrez abondamment. Enduisez les côtelettes de cette préparation et roulez-les dans la chapelure.

2. Pour préparer la purée, faites cuire 15-20 mn les pommes de terre, les navets et l'ail dans une casserole d'eau bouillante salée. Égouttez et passez au mixeur pour réduire en purée, en ajoutant le beurre et la crème. Assaisonnez.

3. Pendant ce temps, préchauffez le gril à température moyenne. Posez les côtelettes sur la plaque de cuisson et arrosez avec le reste d'huile ou de beurre fondu. Faites griller 7-8 mn de chaque côté, en veillant à ce que la chapelure ne brûle pas. Servez avec la purée de navets et décorez de romarin frais

🍴 4　🕐 15 mn　⏳ 20 mn　c 804　l 50 g

Potée

d'agneau à la mode du Lancashire

50 g de beurre
ou de saindoux

4 côtes découvertes
ou 8 côtelettes,
dégraissées

750 g de pommes
de terre coupées fin

2 gros oignons coupés
en lamelles

3 grosses carottes
coupées en rondelles

sel et poivre noir

40 cl de bouillon
de viande

🍴 4

🕐 20 mn

⏳ 2 h

♥ 617

🥄 35 g

1. Préchauffez le four à 200 °C. Faites chauffer la moitié du beurre ou du saindoux dans une grande poêle et faites griller les côtelettes 5 mn de chaque côté. Disposez la moitié des pommes de terre dans un plat à gratin, couvrez avec la moitié des oignons et des carottes. Salez et poivrez légèrement chaque couche de légumes. Disposez les côtelettes sur le dessus et complétez avec le reste des légumes, en finissant par les pommes de terre, sans oublier d'assaisonner. Versez le bouillon et parsemez de noisettes de beurre.

2. Couvrez, enfournez et faites cuire 30 mn. Réduisez la température du four à 150 °C et poursuivez la cuisson 1 h de plus. Revenez à 200 °C, enlevez le couvercle ou la feuille d'aluminium et faites gratiner 30 mn pour obtenir une croûte bien dorée.

Côtelettes
d'agneau

à la sauce Cumberland

8 côtelettes d'agneau dans le filet, de 120 g chacune environ

4 c. à soupe d'huile végétale

sel et poivre noir

Pour la sauce

6 c. à soupe de gelée de groseilles

6 c. à soupe de porto ou de vin rouge

2 c. à café de sucre en poudre

1 c. à café de moutarde de Dijon

jus et zeste haché fin de 1 orange

1. Pour préparer la sauce, versez la gelée de groseilles, le porto, le sucre, la moutarde, le zeste et le jus de l'orange dans une petite casserole. Faites chauffer 2-3 mn à feu moyen en remuant constamment, jusqu'à ce que le sucre et la gelée soient fondus. Baissez le feu et laissez mijoter 3 mn. La sauce doit devenir sirupeuse. Laissez refroidir.

2. À l'aide d'un pinceau à pâtisserie ou avec le dos d'une cuillère, badigeonnez les côtelettes de chaque côté avec 3 c. à soupe d'huile. Salez et poivrez. Préchauffez le gril à température moyenne. Graissez la plaque de cuisson avec le reste de l'huile et déposez les côtelettes par-dessus.

3. Réglez la hauteur de la plaque de cuisson de façon que les côtelettes soient à 10 cm environ de la source de chaleur. Faites griller 6 mn de chaque côté si vous aimez la viande rosée, 9 mn si vous l'aimez bien cuite. Le temps de cuisson étant fonction de l'épaisseur de la viande, vérifiez en piquant les côtelettes avec la pointe d'un couteau. Arrosez avec la sauce et servez.

 4 10 mn 15 mn 581 43 g

Gigot
aux légumes

1 petit gigot
de 1,2 kg environ

4 gousses d'ail
coupées en pointes

quelques brins
de romarin frais haché

4 c. à soupe d'huile d'olive

sel et poivre noir

3 poivrons (jaune, vert
et rouge) épépinés
et coupés en lamelles

3 grosses courgettes
coupées en rondelles

750 g de petites
pommes de terre
nouvelles avec leur peau

250 g de tomates cerises

1. Préchauffez le four à 190 °C. Pratiquez quelques incisions sur le gigot à l'aide d'un couteau pointu, piquez d'ail et de romarin. Arrosez avec 1 c. à soupe d'huile d'olive, salez et poivrez.

2. Pendant ce temps, disposez les poivrons, les courgettes et les pommes de terre dans un plat à four et assaisonnez. Saupoudrez avec le restant d'ail et de romarin. Arrosez de 3 c. à soupe d'huile d'olive et réservez. Disposez le gigot dans un second plat, posez-le dans la partie haute du four et faites rôtir 40 mn.

3. Enfournez le plat contenant les légumes à l'étage inférieur et retournez la viande. Faites cuire les légumes 25 mn avant d'ajouter les tomates. Poursuivez la cuisson du gigot 10 mn supplémentaires. Retirez-le du four, couvrez d'une feuille d'aluminium et laissez reposer 10 mn. Pendant ce temps, faites cuire les légumes en les retournant une fois. Servez chaud.

du soleil

Curry

d'agneau aux épinards

2 c. à soupe d'huile végétale
2 oignons hachés
2 gousses d'ail hachées
1 morceau de gingembre frais de 3 cm, haché fin
1 bâton de cannelle
1/2 c. à café de clous de girofle moulus
3 gousses de cardamome
600 g de viande d'agneau coupée en dés
1 c. à soupe de cumin moulu
1 c. à soupe de coriandre moulue
4 c. à soupe de yaourt nature
2 c. à soupe de coulis de tomates
20 cl de bouillon de bœuf
sel et poivre noir
450 g d'épinards frais hachés fin
2 c. à soupe d'amandes effilées grillées

1. Faites chauffer l'huile dans une sauteuse ou une grande casserole à fond épais. Faire revenir les oignons, l'ail, le gingembre, la cannelle, les clous de girofle et la cardamome pendant 5 mn, pour exalter les saveurs.

2. Ajoutez les dés d'agneau et faites-les rissoler 5 mn, en les retournant régulièrement pour qu'ils dorent. Incorporez le cumin et la coriandre, puis le yaourt, une cuillerée à la fois, en remuant avec soin.

3. Mélangez le coulis de tomates avec le bouillon et versez dans la sauteuse contenant la viande. Salez et poivrez. Portez à ébullition puis baissez le feu, couvrez et laissez mijoter 30 mn.

4. Ajoutez les épinards, couvrez et faites cuire le tout 15 mn pour réduire la sauce. Enlevez le bâton de cannelle et les gousses de cardamome, versez les amandes grillées dans la sauteuse. Servez.

🍴 4   🕐 15 mn   ⏳ 1 h

 425   20 g

1 c. à soupe d'huile
végétale

1 oignon haché fin

2 tranches épaisses de pain
blanc coupées en dés,
sans la croûte

40 cl de lait entier

450 g d'agneau haché

2 c. à soupe de pâte
de curry

Bobotie

d'Afrique du Sud

2 gousses d'ail écrasées

sel et poivre noir

jus de 1/2 citron

90 g d'abricots secs
moelleux coupés
en morceaux,
ou de raisins secs

60 g d'amandes effilées

2 œufs moyens

 4

 10 mn

⌛ 50 mn

𝒞 510

ℓ 28 g

1. Préchauffez le four à 180 °C. Faites chauffer l'huile dans une grande poêle à fond épais et laissez blondir l'oignon pendant 5 mn. Mettez le pain dans un bol avec le lait et laissez macérer.

2. Pendant ce temps, placez l'agneau haché dans la poêle et faites cuire 10 mn en écrasant la viande avec une cuillère en bois. Ajoutez la pâte de curry, l'ail, le sel, le poivre, et laissez mijoter 5 mn de plus. Versez le jus de citron, incorporez les abricots (ou les raisins) et la moitié des amandes en mélangeant avec soin.

3. Retirez le pain du bol de lait en pressant légèrement pour ôter une partie du liquide. Réservez le lait et mettez le pain trempé dans la poêle. Mélangez. Transférez la préparation dans un plat à four, en éliminant la graisse superflue. Battez les œufs en omelette dans le restant de lait et assaisonnez. Versez sur la préparation à la viande et saupoudrez avec le reste des amandes. Faites cuire au four 30 mn jusqu'à ce que le gratin soit bien doré. Servez.

27

Agneau

au basilic

1. Préchauffez le gril à température moyenne. Disposez les côtelettes sur la plaque de cuisson et badigeonnez-les avec la moitié du pesto. Faites-les cuire 4-5 mn, puis retournez-les et couvrez-les avec le restant de pesto. Faites griller 4 mn sur l'autre face.

2. Pendant ce temps, préparez la sauce. Mélangez l'huile, le vinaigre, la moutarde et le miel dans un saladier. Ajoutez les tomates et l'oignon et remuez pour qu'ils soient bien enduits. Salez et poivrez, puis ajoutez le basilic. Servez les côtelettes avec la sauce et décorez de basilic frais.

Remarque : Les côtelettes au basilic sont délicieuses en elles-mêmes, mais la sauce ajoute à l'originalité de la recette. Servez avec une salade et des pommes vapeur.

12 côtelettes d'agneau

3 c. à soupe de pesto

Pour la sauce

2 c. à soupe d'huile d'olive

2 c. à café de vinaigre balsamique

1 c. à soupe de miel liquide

1 c. à café de moutarde de Dijon ou de moutarde à l'ancienne

225 g de tomates cerises coupées en deux

1 petit oignon rouge haché fin

sel et poivre noir

2 c. à soupe de basilic frais haché, et un peu plus pour décorer

et sauce aux tomates cerises

🍴4 🕐 10 mn ⏳ 10 mn 𝒄 484 𝓵 33 g

Brochettes

d'agneau à la sauce pimentée

15 cl de vin rouge

1 c. à soupe d'huile d'olive

jus de 1/2 citron

1 c. à soupe
de romarin frais haché

poivre noir

350 g de gigot d'agneau
désossé, coupé en 12 dés

2 poivrons
(rouge et jaune)
épépinés et coupés en 8

16 petits champignons
de Paris

Pour la sauce

400 g de tomates
concassées

12 cl de bouillon
de légumes

1 petit oignon haché fin

1 gousse d'ail écrasée

1 c. à soupe de coulis
de tomates

1 piment vert épépiné
et haché fin

1. Dans un saladier, mélangez 4 c. à soupe de vin, l'huile, le jus de citron, le romarin et le poivre. Ajoutez les dés d'agneau et mélangez pour qu'ils soient bien enduits. Couvrez le récipient et laissez mariner 2 h au réfrigérateur.

2. Préchauffez le gril à haute température. Enfilez les dés d'agneau, les poivrons et les champignons sur quatre brochettes métalliques, en les répartissant de façon égale. Réservez la marinade.

3. Préparez la sauce en mélangeant les tomates concassées, le bouillon, l'oignon, l'ail, le coulis et le piment haché dans une casserole. Portez à ébullition, puis baissez le feu et laissez mijoter 15-20 mn, en remuant régulièrement, le temps que la sauce épaississe. Pendant ce temps, faites griller les brochettes 12-18 mn, selon le degré de cuisson souhaité, en les retournant de temps en temps et en les arrosant de marinade. Servez avec la sauce pimentée.

Remarque : La saveur de la viande d'agneau et celle du romarin font habituellement bon ménage. La sauce pimentée ajoute un peu de piquant à la recette. Vous pouvez à votre gré remplacer le vin par du jus de pomme.

🍴 4 🕐 20 mn + marinade : 2 h ⏳ 20 mn 𝐜 249 𝓵 11 g

Osso-buco
d'agneau

2 c. à soupe de farine

sel et poivre noir

4 tranches de gigot
dégraissées

2 c. à soupe d'huile
d'olive

1 oignon haché fin

1 carotte coupée
en rondelles fines

1 branche de céleri
coupée en petits
morceaux

400 g de tomates à l'ail
et aux fines herbes

1 c. à soupe de coulis
de tomates

15 cl de vin blanc sec

40 cl de bouillon
de viande

Pour la garnirture

1 c. à soupe de persil
frais haché

1 c. à soupe de menthe
fraîche hachée

zeste râpé fin de 1 citron

1 gousse d'ail hachée fin

1. Préchauffez le four à 160 °C. Dans une assiette, mélangez la farine, le sel, le poivre, et farinez soigneusement les tranches d'agneau. Faites chauffer 1 c. à soupe d'huile dans une grande poêle. L'huile doit être très chaude, mais ne pas fumer. Faites rissoler l'agneau fariné 5-8 mn à feu moyen, en le retournant régulièrement pour que la viande soit bien saisie sur les deux faces. Transférez dans un plat à gratin.

2. Faites chauffer le restant d'huile dans la poêle, ajoutez l'oignon, la carotte et le céleri et laissez mijoter 4-5 mn à feu doux. Versez les tomates, le coulis, le vin et le bouillon, et portez le mélange à ébullition, en remuant de temps en temps. Versez ensuite sur les tranches d'agneau, couvrez d'une feuille d'aluminium et faites cuire au four 1 h 30-2 h, en retournant la viande à mi-cuisson. Rectifiez l'assaisonnement.

3. Pour la garniture, mélangez avec soin tous les ingrédients. Saupoudrez sur la viande et servez chaud.

🍴 4 🕐 15 mn ⏳ 2 h

c 385 ℓ 18 g

3

Le porc

Rôti de porc

1. Préchauffez le four à 220 °C. Pour préparer la farce, faites chauffer l'huile dans une poêle et faites revenir les oignons et l'ail pendant 6 mn. Retirez du feu et ajoutez la chapelure, le zeste de citron, la pomme, les fines herbes, puis le sel et le poivre, et mélangez bien.

2. Incisez la pièce de viande, salez, poivrez, et remplissez de farce. Fixez avec de la ficelle alimentaire. Couvrez le fond d'un plat à four avec les lamelles d'oignon, déposez le rôti farci par-dessus et faites cuire 35 mn. Baissez la chaleur du four à 190 °C et prolongez la cuisson de 1 h 30 pour que la viande soit bien tendre. Couvrez d'une feuille d'aluminium et laissez reposer 15 mn.

3. Pour préparer la sauce, mettez les pommes dans une casserole avec le cidre (ou le jus de pomme), le gingembre et la cannelle. Couvrez et faites cuire 5-8 mn, en remuant une ou deux fois, jusqu'à ce que les pommes ramollissent. Ajoutez le sucre, le jus de citron, et mélangez. Retirez le bâton de cannelle, incorporez le beurre et versez la sauce dans un bol. Arrosez la viande du jus de cuisson et servez avec la sauce.

	Pour la sauce
2 c. à soupe d'huile végétale	1 pomme à cuire, coupée en morceaux
1 oignon haché	
1 oignon coupé en lamelles	1 pomme à couteau, coupée en morceaux
1 gousse d'ail hachée fin	
120 g de chapelure fraîche	3 c. à soupe de cidre brut ou de jus de pomme
zeste râpé de 1/2 citron	
1 grosse pomme à couteau râpée	1 morceau de gingembre frais de 3 cm haché très fin
1 c. à soupe de sauge fraîche hachée	1 bâton de cannelle de 5 cm
3 c. à soupe de persil frais haché	1 c. à café de sucre
	quelques gouttes de jus de citron
sel et poivre noir	
1 rôti de porc désossé de 1,3 kg environ	15 g de beurre

¶| 6 🕐 20 mn + repos : 15 mn ⏳ 2 h 𝒸 613 𝓵 39 g

et sa sauce aux pommes

Filets mignons au cidre

2 filets mignons de 300 g chacun environ

8 abricots moelleux ou 8 pruneaux, ou 4 de chaque

sel et poivre noir

1/2 c. à café de cannelle moulue

12 tranches de lard maigre découennées

huile

1 c. à soupe de farine

20 cl de cidre brut

jus de 1 grosse orange

jus de 1 citron

1 c. à soupe de miel liquide

quelques tranches d'orange et de citron pour décorer

1. Préchauffez le four à 190 °C. Placez les filets entre deux feuilles de Cellophane et écrasez-les légèrement à l'aide d'un rouleau à pâtisserie. Alignez les fruits sur la partie médiane du premier filet, salez et poivrez et saupoudrez avec la moitié de la cannelle. Recouvrez avec le second filet.

2. Étalez les tranches de lard côte à côte sur un plan de travail en les aplatissant avec une lame de couteau. Disposez les filets sur les tranches et ficelez le tout – ou fixez avec des piques à apéritif.

3. Placez les filets dans un plat à four et faites cuire 20 mn. Retournez-les et prolongez la cuisson de 25 mn. Déposez sur un plat de service, couvrez d'une feuille d'aluminium et laissez reposer 10 mn. Coupez la ficelle ou retirez les piques.

4. Pendant ce temps, versez 4 c. à soupe de jus de cuisson dans une petite casserole. Parsemez de farine, mélangez et laissez cuire 1-2 mn sans cesser de remuer. Ajoutez le cidre, le jus des fruits, le miel et le restant de cannelle, salez et poivrez. Portez à ébullition pour que le mélange épaississe. Découpez la viande. Décorez avec les tranches d'agrumes et servez avec la sauce.

4 ● 15 mn + repos : 10 mn ⌛ 50 mn ℭ 484 ℓ 20 g

Porc épicé au houmous et à la coriandre

4 tranches de filet
de porc de 200 g

I c. à soupe
d'huile d'olive

I c. à café de paprika

1/2 c. à café de poivre
de Cayenne

250 g d'houmous

coriandre fraîche
et quartiers de citron
pour décorer

Pour la sauce à la coriandre

4 c. à soupe
d'huile d'olive

2 oignons nouveaux
hachés fin

I c. à soupe
de coriandre fraîche

sel et poivre noir

🍴 *4*

🕐 *10 mn + repos : 5 mn*

⌛ *25 mn*

C *548*

l *35 g*

I. Préchauffez le four à 180 °C. Essuyez les tranches de porc avec un torchon humide. Mélangez l'huile, le paprika et le poivre de Cayenne. Enduisez la viande de cette préparation.

2. Faites chauffer de l'huile dans une poêle et faites cuire 2 mn les tranches de porc en les retournant pour qu'elles soient saisies des deux côtés. Ajoutez 2 c. à soupe d'eau, couvrez et laissez mijoter 10 mn. Retirez du feu et laissez reposer 5 mn. Versez l'houmous dans un plat allant au four et faites réchauffer 10 mn.

3. Pendant ce temps, préparez la sauce. Faites chauffer l'huile dans une petite casserole, ajoutez les oignons nouveaux et la coriandre et faites cuire 3-4 mn. Laissez refroidir légèrement, assaisonnez puis passez au mixeur pour obtenir un mélange fluide. Servez les tranches de porc avec l'houmous et la sauce à la coriandre, après avoir décoré les assiettes de quartiers de citron et de feuilles de coriandre.

Grillades

de porc à l'orange et à la sauge

1 c. à soupe d'huile d'olive
sel et poivre noir
12 petites grillades de porc
30 cl de bouillon de poule
jus et zeste finement râpé de 1 orange
2 c. à soupe de xérès sec ou de vermouth
2 c. à soupe de gelée de groseilles
2 c. à café de sauge déshydratée ou 1 c. à café de sauge fraîche hachée

1. Faites chauffer l'huile dans une poêle à fond épais. Assaisonnez les grillades et faites-les frire en deux fois, 4 mn de chaque côté. Réservez au chaud.

2. Dans la poêle, versez le bouillon, l'orange, le xérès (ou le vermouth) et la gelée de groseilles. Faites cuire 5 mn à feu vif en remuant constamment, jusqu'à ce que le liquide ait réduit de moitié. La sauce doit prendre une teinte foncée.

3. Incorporez la sauge, salez et poivrez. Ajoutez les grillades dans la poêle et réchauffez le tout 1-2 mn. Servez chaud.

🍴 4 🕐 10 mn ⏳ 20 mn **c** 240 **ℓ** 6 g

Nasi
Goring

250 g de riz long grain

1 c. à café de curcuma moulu

3 c. à soupe d'huile végétale

1 botte d'oignons nouveaux, coupés fins

1 morceau de gingembre frais de 2-3 cm, haché fin

1-2 piments rouges épépinés et coupés fin

225 g de viande de porc maigre, coupée en fines lanières

2 gousses d'ail écrasées

3 c. à soupe de sauce soja

200 g de crevettes roses, cuites et décortiquées (décongelées, le cas échéant)

jus de 1/2 citron

coriandre fraîche pour décorer

1. Faites cuire le riz, avec le curcuma, en suivant les indications portées sur le paquet. Égouttez et étalez sur une grande assiette plate. Laissez refroidir 1 h en aérant de temps en temps les grains à l'aide la fourchette.

2. Faites chauffer 2 c. à soupe d'huile dans une sauteuse ou une grande poêle. Faites cuire 2-3 mn à feu doux la moitié des oignons nouveaux, le gingembre et les piments. Ajoutez le restant d'huile, augmentez le feu puis ajoutez les lanières de porc et l'ail. Faites revenir 3 mn à feu vif.

3. Incorporez le riz en trois fois, en mélangeant avec le plus grand soin. Ajoutez la sauce soja, les crevettes, et prolongez la cuisson de 3 mn. Le tout doit être bien chaud. Versez dans un saladier et ajoutez le jus de citron. Avant de servir, parsemez avec le restant d'oignons et la coriandre.

4 15 mn 10 mn c 439 l 13 g

Sauté de porc

aux crevettes roses

250 g de nouilles chinoises

4 c. à soupe d'huile
de noix

2 gousses d'ail hachées

1 échalote hachée

120 g de viande de porc
maigre, coupée en
lanières de 5 mm

1 c. à soupe de nuoc-mâm

1 c. à café de sucre

jus de 1/2 citron vert

1 c. à soupe de sauce soja

1 c. à soupe de ketchup

200 g de pousses
de soja fraîches

120 g de crevettes roses
cuites et décortiquées

poivre noir

Pour la garniture

60 g de cacahuètes
grillées et salées

1 c. à soupe de coriandre
fraîche ciselée

1 citron vert coupé
en quartiers

1. Faites cuire les nouilles selon les indications portées sur le paquet. Égouttez et rincez. Faites chauffer l'huile de noix dans la sauteuse. Faites rissoler le porc, l'ail et l'échalote pendant 3 mn. Lorsque le porc a blanchi, versez les nouilles dans la sauteuse et mélangez bien.

2. Mélangez le nuoc-mâm, le sucre, le jus de citron vert, la sauce soja et le ketchup, puis ajoutez au mélange, en donnant plusieurs tours de cuillère. Faites cuire 6 mn. Ajoutez les pousses de soja, les crevettes cuites, et prolongez la cuisson de 5 mn, pour que le soja soit bien tendre. Poivrez.

3. Disposez sur un plat de service. Décorez de cacahuètes grillées, de coriandre ciselée et de quartiers de citron vert.

Remarque : Difficile de résister à ce mélange savoureux et original ! En Thaïlande, les arômes mêlés du porc grillé, des fruits de mer et du citron vert vous assaillent à tous les coins de rue.

4 ● 20 mn ⏳ 15 mn **c** 522 **l** 23 g

| 1 c. à soupe d'huile de tournesol |
| 4 escalopes de porc, ou 4 petites grillades de 100 g environ |
| 4 échalotes coupées fin |
| 175 g de champignons coupés en lamelles |
| 1 c. à soupe de farine |
| 20 cl de bouillon de légumes |
| 12 cl de cidre brut |
| 2 c. à café de moutarde forte, ou de moutarde à l'ancienne |
| poivre noir |
| 2 grosses pommes pelées, épépinées et coupées en tranches |
| persil plat pour décorer |

Porc

braisé aux pommes

1. Préchauffez le four à 180 °C. Faites chauffer l'huile dans une poêle anti-adhésive. Placez-y les lamelles de porc et faites-les frire 5 mn en les retournant à mi-cuisson jusqu'à ce qu'ils soient bien dorés sur les deux faces. Disposez dans un plat à four.

2. Faites revenir 5 mn les échalotes et les champignons dans la poêle. Ajoutez la farine et laissez cuire 1 mn en remuant. Ajoutez le bouillon et le cidre par petites quantités, en éliminant les grumeaux. Complétez avec la moutarde et le poivre et portez à ébullition. Poursuivez la cuisson 2-3 mn en remuant, le temps que le mélange épaississe.

3. Disposez les tranches de pomme sur les lamelles de porc et nappez avec la sauce. Couvrez d'une feuille d'aluminium et enfournez. Faites cuire 1 h–1 h 30. La viande doit être bien cuite. Décorez de persil frais.

🍴 4 🕐 15 mn ⏳ 1 h 30 **C** 242 **ℓ** 11 g

Escalopes

de porc à l'orange

4 escalopes de porc

125 g de chapelure

50 g de parmesan râpé

1 c. à café d'origan
déshydraté

1 œuf battu

un peu d'huile

origan frais pour décorer
(facultatif)

Pour la sauce

1 grosse orange

1 oignon nouveau
haché fin

sel et poivre noir

1. Commencez par préparer la sauce. Prélevez une partie du zeste de l'orange et réservez. Coupez les deux extrémités de l'orange, puis enlevez l'écorce et la peau blanche en suivant la courbure du fruit. Incisez entre les membranes pour libérer les segments, et recueillez le jus dans un bol. Hachez la pulpe, mélangez avec l'oignon et le jus réservé, salez et poivrez.

2. Placez les escalopes entre deux feuilles de Cellophane et écrasez-les à l'aide d'un rouleau à pâtisserie pour qu'elles soient d'épaisseur égale. Dans une assiette creuse, mélangez la chapelure, le parmesan et l'origan. Salez et poivrez. Trempez chaque escalope successivement dans l'œuf battu et dans la chapelure au fromage.

3. Couvrez le fond d'une sauteuse d'un centimètre d'huile. Faites frire les escalopes deux par deux, 3-4 mn de chaque côté. Égouttez sur un linge, en gardant les premières au chaud le temps de cuire les autres. Servez avec la sauce à l'orange, décoré avec le zeste réservé et, le cas échéant, l'origan.

¶4 🕐 30 mn ⌛ 15 mn 𝓬 411 𝓵 23 g

1. Faites chauffer l'huile dans une sauteuse ou une grande poêle et faites revenir les oignons 3-4 mn, puis ajoutez l'ail, le piment, et prolongez la cuisson durant 1 mn.

2. Versez dans la poêle les lanières de porc et faites rissoler 5 mn à feu moyen, pour qu'elles soient bien dorées. Ajoutez le vin, les graines de fenouil, et laissez mijoter 3-4 mn en remuant.

3. Ajoutez les pois chiches, puis les épinards, et faites cuire le tout 3-4 mn à feu vif. Les épinards doivent être cuits et le jus de cuisson pratiquement évaporé. Complétez avec le mascarpone ou la crème fraîche. Salez et poivrez.

Remarque : Aussi spectaculaire que facile à réaliser, cette délicieuse recette doit son goût anisé aux graines de fenouil. Pour profiter au mieux de ces saveurs appétissantes, servez avec du riz ou des tranches de pain frais.

2 c. à soupe d'huile d'olive

1 oignon haché fin

1 petit piment rouge épépiné et coupé fin

500 g de viande de porc maigre désossée, coupée en fines lanières

4 c. à soupe de vin blanc sec

1 c. à café de graines de fenouil

400 g de pois chiches

250 g d'épinards frais

3 c. à soupe de mascarpone ou de crème fraîche épaisse

sel et poivre noir

à la florentine

🍴 4 🕐 15 mn ⏳ 15 mn 𝒸 490 𝓁 33 g

À savoir

Liste des symboles		°c	Thermostat
¶¶	Nombre de couverts	140	1
🕐	Temps de préparation	150	2
		160	3
⧗	Temps de cuisson	180	4
		190	5
c	Calories	200	6
		220	7
l	Lipides	240	8
		250	9

Apport nutritionnel

Chaque recette est accompagnée d'indications simples concernant le nombre de calories qu'elle dispense et l'apport nutritionnel correspondant. Un gramme de lipides représente 38 kilojoules environ, soit 9 kilocalories d'énergie.

Lipides, exprimés en grammes par portion individuelle	
moins de 10 g	apport énergétique faible
entre 10 et 20 g	apport énergétique modéré
plus de 20 g	apport énergétique élevé

Index

La série **Saveurs minute** *comprend les titres suivants :*

Amuse-gueules

Barbecue

Cuisine végétarienne

Légumes

Poissons

Sushis

Agneau

Cuisine légère

Desserts

Pâtes

Porc

Viandes

Edition originale de cet ouvrage publiée en néerlandais par Rebo International, Ltd, sous le titre : *Vleesgerechten*

© 2002 Rebo International

Textes © Concorde Vertalingen BV
Photographies © R&R Publishing Pty. Ltd

© 2009 Rebo International b.v., Lisse, the Netherlands pour l'édition française

Traducion de l'anglais : Lise-Éliane Pomier
Réalisation et coordination éditoriale : Belle Page, Boulogne
Adaptation PAO : Critères, Paris

ISBN 978-90-366-2689-7

Imprimé en Slovénie